6

Para entender el mundo

Director de la colección
Marc Candela

Consejo asesor:
Alícia Toledo
Núria Cadenas
Núria Sendra
Paco Tortosa

Ximo Cádiz

¡AMA COMO QUIERAS!

Abisal

Título original: *Estima com vulgues!*
Traducción: Accent Traduccions, CB

1a edición en esta colección: octubre de 2007

© 2006 Ximo Cádiz
© 2007 de las características de esta edición:
Edicions del Bullent, SL
De la Taronja, 16 • 46210 Picanya
abisal@bullent.net • ✆ 961 590 883
www.bullent.net

Diseño: ▲▲ Miquel Mollà
Maquetación: Núria Beneyto
Impresión: Romanyà Valls, S.A.

ISBN: 978-84-96187-75-7
Depósito legal: B-45.358-2007

La presente edición ha sido traducida con una ayuda de la
Conselleria de Cultura, Educación y Deporte de la Generalitat

ISBN 978-84-96187-75-7

«Un buen amigo mío estaba despachando en la tienda donde trabaja, cuando llegó un mensajero para entregarle un ramo de flores. Era el Día de los Enamorados. El cliente a quien estaba atendiendo comentó: 'Como cambian los tiempos, ahora las mujeres toman la iniciativa'. Pero él matizó: '¡Y tanto que cambian! ¡Me lo envía mi novio!'»

Publicado el 21 de febrero de 2006
en el diario *20 Minutos*, edición de Barcelona.

VIVIR EL PLACER DE AMAR

No hay período más trascendental en la vida que la adolescencia, cuando descubrimos la verdad de las fantasías infantiles, cuando buscamos afirmarnos como individuos y nos preguntamos sobre nuestra personalidad.

Decía el filósofo francés Michel Foucault que no vale la pena dar vueltas y vueltas sobre las preguntas eternas: *¿Quién soy?, ¿De dónde vengo?, ¿Por qué mi homosexualidad?*. Y aconsejaba pensar: *¿Cómo puedo ser feliz?, ¿Cómo construyo mi vida?*. La verdad es que el mundo ha sido diseñado para los heterosexuales y los otros debemos saber hacernos o ganarnos nuestro espacio, un espacio para compartir con todo el mundo.

El aislamiento es la defensa instintiva de quien se siente *diferente* o, incluso, es víctima de cualquier mofa o acoso en la escuela o en el barrio. Que nadie se quede recluido en una situación así, ¡hay que salir!

Ximo Cádiz Ródenas nos explica en su libro, de manera clara y amena, todo lo que hay que saber para respetar a las personas de acuerdo con su orientación homosexual. Aún más, apuesta por la autoestima y el autorespeto de lesbianas, gays, bisexuales y transexuales, la verdad es que casi lo da por sobrentendido.

Especialmente dirigido a jóvenes, familias y educadores, el autor responde cuidadosamente a todos los tópicos que aún estigmatizan quien no se ajusta a la norma. El método pregunta-respuesta en medio de hechos cotidianos hace que sea muy comprensible y entretenido. Ximo nos sitúa con toda naturalidad en un presente-futuro de las relaciones homosexuales y de su entorno, apuntando temas que hay que superar como por ejemplo, la homofobia social, interiorizada incluso en algunas personas lesbianas, gays, bisexuales y transexuales (LGBT).

No hay nada más duro para un joven gay o lesbiana que escuchar chistes de *mariquitas* o *tortilleras* a alguien de la familia a la hora de la sobremesa. Afortunadamente, las cosas mejoran y películas como *Philadelphia*, *Brokeback Mountain* o algunos personajes homosexuales de la televisión, disipan muchos tabús y mitos a nuestros mayores. Además, este libro trata con especial énfasis y pedagogía la manía de tildar de gueto cualquier forma de afinidad entre personas que tienen cosas en común y denuncia lo absurdo de rechazar a quien quiere mostrar el derecho a la diferencia y se viste simplemente como le gusta.

La actualidad, el estilo directo y sin tapujos del texto contrastan con la historia de nuestro país. Hace unos años habría sido imposible publicar un libro de estas características. De hecho, hace treinta años, lesbianas, gays, bisexuales y transexuales aún eran ilegales, estaban bajo la franquista Ley de Peligrosidad Social de 1970, de la que no salimos hasta el año 1979. Las asociaciones homosexuales fueron autorizadas en los años 80. La dictadura de Franco (1939-1975) fue profundamente machista y represiva. Durante aquellos años de nacionalcatolicismo, ser homosexual era sinónimo de mucho miedo, prisión, doble vida, neurosis, exclusión, exilio o, incluso, suicidio. Cuando se abrieron los primeros locales de encuentro gay, a finales del franquismo, la policía hacía frecuentes detenciones de clientes atemorizados.

Ahora todo ha cambiado porque durante los primeros 25 años de la democracia el movimiento LGBT y la sociedad en general han dicho basta a la discriminación, aunque todavía quedan sectores anclados en la intolerancia. Se ha alcanzado la plena igualdad legal respecto a la orientación sexual de las personas, pero aún queda un largo camino para erradicar la homofobia. Si hablamos de nuestra casa, tampoco podemos olvidar Europa, cuna de los Derechos Humanos pero también testigo de la persecución nazi de los homosexuales, que fueron deportados a los campos de exterminio, marcados con un triángulo rosa ellos, y con un triángulo negro ellas. Y de la misma manera el estalinismo en la URSS los desterró a Siberia. Hoy, por todo el mundo, aún ochenta países consideran ilegales las relaciones homosexuales y en siete países todavía se les aplica la pena de muerte.

Tenéis en las manos una guía excelente para contribuir un poco a la felicidad, propia y de los demás. Aceptar, tomar sin miedo los caminos y aventuras del sexo y el afecto es el hecho más humano de la vida.

Jordi Petit, activista histórico
del movimiento LGBT.

I

La persiana filtraba los rayos de sol. Estaban desnudos en la cama. A pesar del intenso calor estaban abrazados. Había sido una noche intensa. Después de cenar en casa de unas amigas tomaron unas copas. Llegaron de madrugada a casa y, después de una refrescante ducha, hubo una mirada, una caricia, un beso y... otra caricia, ahora ya las lenguas atravesaban las puertas de la boca y se enredaban mientras las manos de los dos recorrían sus pechos, sus piernas, sus espaldas. Poco a poco, los dos cuerpos iban acariciándose, el ritmo crecía frenéticamente, tal vez de manera algo tosca por el efecto de las copas. La lengua bajó por el pecho y el ombligo hasta encontrarse con un obstáculo en su trayectoria, sin embargo, con la boca, absorbió aquel «obstáculo», unos momentos dentro de la boca, en otros rodeándolo, acariciándolo con los labios y manteniendo un movimiento que ganaba en violencia. Las manos hacían su trabajo como si fueran de otra persona. Mientras la boca se ocupaba del falo, las manos jugaban con los pechos y los pezones. El silencio de la madrugada se veía acompañado de los gemidos, a veces leves y constantes, otras intensos y puntuales que emanaban de las mejillas de los dos. Reanudaron los besos, cara a cara, y continuaron con los roces de sus cuerpos. Las manos bajaron hasta encontrarse con sus sexos. Unos minutos más tarde, el rumor de gemidos se rompía con gritos, poco después más gritos y después la calma, la calma bañada de un líquido blanquecino. Un abrazo y el silencio de los que duermen.

Toni y Manuel se habían conocido hacía unas semanas. Estaban viviendo el proceso de enamoramiento, de pasión, de exploración, que experimentan dos personas que se atraen. Toni tenía 28 años y trabajaba como mecánico de coches (era lo que había estudiado) desde hacía dos años y antes había estado alternando contratos y paro, como muchos otros jóvenes víctimas de la precariedad laboral. Toni era un chico más bien alto, corpulento y moreno, con los cabellos muy negros. En él llamaban la atención sus manos, grandes y firmes. Manuel, también alto pero delgado, con la piel muy blanca y castaño, era mayor, 32 años, y era profesor de historia en un instituto de enseñanza secundaria en la ciudad de Valencia. Se habían conocido una noche del mes de abril, en un café del barrio del Carmen, el Café de La Seu. Después de algunas primeras citas, algún café, alguna noche juntos, estaban dándose cuenta de que querían compartir algo más que salir de copas e ir al cine: a pesar del poco tiempo que se conocían, prácticamente vivían juntos, eran una pareja que se quería, que disfrutaba estando juntos y haciendo una vida en común.

Toni y Manuel acababan de empezar las vacaciones de verano. Habían decidido pasar un fin de semana en casa de los padres de Toni, en Benicàssim. El mes de agosto estaba siendo muy caluroso y en Valencia aún se notaba más la asfixia de las altas temperaturas acompañadas de la inevitable humedad. Por lo menos en la playa estarían más frescos. La familia de Toni, incluida su hermana pequeña, vivía, desde siempre, en una casa cerca del mar. Ahora todo había cambiado, sin llegar a los extremos de Benidorm, Benicàssim había pasado a ser una gran ciudad turística. Pero el emplazamiento de la casa aún mantenía el encanto, buenas vistas y un cierto aislamiento. Un buen lugar para pasar los primeros días de las vacaciones de aquel año.

La familia de Toni conocería a Manuel. Hasta ahora habían oido a Toni hablar de él, pero ahora tendrían la ocasión de verlo en persona y compartir con ellos unos días.

Eran poco más de las cinco de la tarde cuando llegaron. El coche se paró en la verja de la casa. Toni la abrió y entraron. Toda la familia, el padre, la madre, la hermana menor y el perro salieron a recibirlos. El padre era un agricultor jubilado, más bien bajo y un poco grueso, con el cabello bastante canoso y un aspecto afable, con una sonrisa permanente en la boca que reflejaba tranquilidad. La madre, un año mayor que el padre, era más alta, delgada y con los cabellos largos y negros; tenía un carácter más nervioso, se le notaba porque difícilmente podía estarse quieta. La hermana de Toni, la única que tenía, acababa de cumplir 16 años. Parecía una mujer, pero en realidad era una adolescente en proceso de convertirse en persona adulta: toda una aventura. Se llamaba Ana. Se parecía mucho al padre. Toni, por el contrario, era más parecido a la madre. Y el perro: el último miembro de la familia, bastante viejo pero muy alegre y cariñoso, un pastor alemán encantador. Hacía más de dos meses que no se habían visto. Ya sabían que Toni estaba viviendo con Manuel, pero le conocían muy poco aún; sólo tenían las referencias de Toni.

–¡Hola! ¿Qué tal estáis?

–¡Por fin! Os habéis retrasado un poquito, ¿no?

–Ya sabes, el tráfico está imposible en la entrada de Benicàssim.

–Bien, lo que importa es que ya estáis aquí.

Se dieron los besos y abrazos de presentación y de bienvenida, incluso el perro, que no paraba de saltar alrededor de los invitados, quería presentarse y participar en los saludos.

–Entrad y dejad la maleta en la habitación.

Manuel estaba un poco cohibido, era la primera vez que se topaba cara a cara con la familia de Toni. Pero una vez vencido el miedo del primer momento (y la incertidumbre de los instantes previos) se sintió cómodo, era una familia como cualquier otra y, sobre todo, en pocos minutos consiguió una sensación de tranquilidad que le hubiera costado imaginar unos días antes. El contacto con los padres y con la hermana de Toni no había sido nada extraño.

No obstante, Manuel trataba de mirar de reojo a Toni y buscar su auxilio ante una situación absolutamente novedosa para él.

Toni también estaba nervioso pero tenía una ventaja: conocía a su familia. Los primeros minutos eran decisivos, pero las incertidumbres dieron paso a la normalidad.

El padre, la madre y la hermana, no sin preguntarles cómo estaban, si venían cansados, si habían pasado calor en el viaje, si querían beber algo, es decir, como una especie de interrogatorio protocolario, les dejaron tranquilos finalmente. Ya tendrían tiempo durante la cena de hablar y de conocerse.

Ya estaban en casa. En su casa.

II

Aún tenían toda la tarde por delante. Toni y Manuel se habían quedado solos. Toni trajo un voluminoso álbum de fotos. Allí iban a encontrar todo tipo de fotos, todo tipo de recuerdos. Era una buena ocasión para conocerse un poquito mejor y, mirando las fotos, explorar en su pasado. Las primeras fotos eran de la boda de sus padres. Acto seguido aparecía una criatura, era Toni. Más adelante había una nueva versión suya, pero crecido, ahora ya era un niño. Y unas páginas más adelante Toni estaba vestido de primera comunión. A continuación venían las fotos de la confirmación. Todo un repertorio de rituales católicos. En ese momento Manuel empezó a reírse.

—¡Pareces un buen chico! ¡Que pinta que tienes vestido de primera comunión! Yo a esa edad ya había tomado la decisión de no hacerla. Digamos que ya era un ateo militante.

—La verdad es que no he sido nunca especialmente religioso, pero la comunión la hice porque mi familia, especialmente mi madre, se empeñó. Su razonamiento era que su hijo debía de ser igual que el resto de los niños. Así que hice la catequesis, la comunión y la confirmación. Y todo con la parafernalia correspondiente.

Se hizo un silencio, premonición de una pregunta que podía considerarse como muy personal. Durante las semanas que hacía que se conocían Manuel había querido hacer esta pregunta, pero por diferentes circunstancias no la había hecho. Finalmente, se decidió a hacerla. Las fotografías de la adolescencia de Toni parecía un momento propicio.

—Y tú a esa edad ya sabías que...

—¿Qué es lo que ya sabía?

—¿Si ya sabías que te gustaban los chicos y no las chicas?

—La verdad es que sí. El año que me confirmé hicimos el viaje de fin de curso, al terminar la educación general básica, y en ese viaje todo quedó muy claro. Mientras mis compañeros sólo hablaban de las chicas más guapas de la clase, yo sólo hacía que pensar en algunos de los chicos, los más atractivos, para mí, en aquel tiempo. Pero entonces, en ningún momento se me pasó por la cabeza decirle a alguien que me gustaban los chicos y menos aún intentar hacer algo con Pablo o Fernando. Ambos eran amigos de clase, Fernando era más que un compañero, era mi cómplice en la clase, desde el primer curso habíamos estado juntos, en la escuela, jugando en la calle, en la playa. Mis sentimientos me provocaban cierta confusión. No acababa de saber si le quería como mi mejor amigo o, en realidad, estaba enamorado de él. Tampoco sabía muy bien qué era el amor. Pero cuando nos juntábamos, escondidos, a mirar alguna revista o película pornográfica, a mí lo que me excitaba no eran las mujeres, eran los hombres. De hecho, mis fantasías eróticas eran precisamente otros hombres o, incluso, soñar que Fernando y yo, los dos solos, nos acariciábamos y nos besábamos. Más de una vez he mojado las sábanas soñando con Fernando. Yo deseaba a otros hombres. Mis compañeros, en cambio, deseaban a las mujeres.

—Ay, el deseo, el deseo... Que aburrimiento de vidas si no existiera el deseo. Es una de las piezas clave de nuestra vida y de nuestra sexualidad. El deseo, además, es tan diverso... Incluso puede ser variable, aunque hay uno que es mayoritario, el deseo heterosexual, el que se produce entre personas de sexo diferente; también existe el deseo homosexual, el que se produce entre dos hombres o dos mujeres. El problema es que muchas veces la gente piensa que sólo hay un tipo de deseo, el heterosexual, y eso implica la exclusión o la marginación de cualquier otra orientación del deseo.

—Tienes toda la razón.

—Pero me dices que a Fernando, además de desearlo, también le querías. ¿Fue tu primer amor?

Toni se quedó pensativo, pero con total determinación le respondió.

—Tal vez sí. Más bien sí. Lo fue. Me parecía encantador. Lo que hacía, lo que no hacía, su honestidad, su fidelidad, su humor, su sonrisa, sus gestos y no era especialmente guapo, pero a mí me parecía terriblemente atractivo. Nos conocíamos desde hacía mucho tiempo y a medida que íbamos creciendo yo quería algo más que una amistad. Para él yo era su mejor amigo, para mí él era mi mejor amigo y el chico del que me había enamorado. Sólo había un obstáculo: yo empezaba a tener claro que deseaba a los hombres, y él deseaba a las mujeres. Yo sufría enormemente cuando él me hablaba de las chicas que le gustaban o de sus fantasías con ellas. Éramos amigos y era normal que habláramos de ligar, de sexo, de amor... Pero, yo lo pasaba muy mal. Mi amor era imposible. Aún así mantenía una remota esperanza en Fernando, tal vez él cambiaría y me correspondería. Lo mismo pensaba sobre mi sexualidad, al principio. Sin embargo, ni yo ni Fernando cambiamos.

—¿Y qué pasó contigo y con Fernando?

—Un día, cuando ya estábamos en el instituto, me contó que estaba enamorado de una chica de otra clase. Me la presentó. Fue entonces cuando asumí la realidad. Fernando y yo seríamos amigos, pero nada más. Unos meses después le conté, aunque con miedo, que a mí me gustaban los chicos.

—¿Y cómo reaccionó?

—Muy bien. Se rió y empezó a entender algunas de las reacciones y actitudes que yo tenía. Me dijo que independientemente de que me gustaran los hombres o las mujeres yo era Toni, su mejor amigo y eso era lo que importaba. Por otro lado, expresó su satisfacción por mi muestra de confianza hacia él. Al resto de compañeros y compañeras de clase se lo dije poco a poco, las reacciones fueron en general muy positivas (mucho mejor que con mi familia).

—¿Pero le dijiste que estabas enamorado de él?

—Años después, cuando él ya se había casado, una noche cenando en su casa le conté qué había pasado algunos años atrás. Él me dijo que se sentía más halagado que sorprendido. Que el hecho de tener un amigo, su mejor amigo, homosexual le había obligado a replantearse muchas cosas en su vida. Para él yo era como un hermano y con mi confesión reflexionó sobre las actitudes de menosprecio o el daño que algunas expresiones o afirmaciones pueden hacer a gays y lesbianas. Yo era uno, un homosexual, y, además, era su mejor amigo.

III

La conversación, provocada por la pregunta tan personal que Manuel le había hecho a Toni, dio pie a una especie de contraataque. Ahora era Toni el que quería averiguar el pasado adolescente de Manuel. Aunque se conocían desde hacía ya algunas semanas, ciertas cosas aún estaban por descubrir.

—Yo te he contado mi primer amor y cómo descubrí que era homosexual. ¿Y tú Manuel? ¿Cómo fue en tu caso?

—Yo tenía lo que denominamos «pluma». Es decir, era afeminado. De hecho, aún lo soy, especialmente cuando hablo y estoy entre amigos o amigas, en un ambiente de confianza y relax. Pero por aquel entonces, en la educación primaria, yo me juntaba sobretodo con las chicas de mi clase. Me gustaba jugar con ellas bastante más que al fútbol con los chicos.

—A mí no, yo me lo pasaba en grande jugando al fútbol en el patio de la escuela y del instituto con los compañeros de clase.

—Pues, yo era al contrario. Y eso no estaba bien visto. Al principio, cuando éramos más pequeños, todos, chicas y chicos, participábamos en cualquier clase de juego; no había juegos para chicos y juegos para chicas, pero a medida que nos hacemos mayores parece que nos asignan un papel, como en una película y no nos podemos salir del guión. Tradicionalmente, el género de los hombres dice que deben de ser fuertes, responsables, serios. En cambio, el género de las mujeres implica que deben de ser sensibles, comprensivas, alegres. Y esa asignación de características empieza cuando aún somos pequeños. El caso es que yo hacía cosas que no eran las «propias» de mi género: los chicos jugaban al fútbol y se pegaban y yo ni jugaba al fútbol ni me gustaba pelearme con los otros. Como puedes imaginar, muy pronto empezaron a llamarme *mariquita* y a burlarse de mí. No lo pasé nada bien, aunque por lo menos no era el único. Otro compañero de clase hacía lo mismo que yo. También era objeto de los insultos y de las bromas. Con el tiempo yo descubrí que, además de jugar con las chicas, me gustaban los chicos (por lo tanto, incumplía doblemente el papel que previamente está asignado a los hombres). Mi amigo, Pepe, por el contrario, congeniaba muy bien con las chicas y tuvo sus novias, sus ligues, como el resto de los compañeros de la clase.

—¿A dónde quieres llegar con eso?

—A que vivimos en una sociedad, la occidental, heterosexista y machista que marca lo que debemos ser, lo que debemos hacer en función de lo que tenemos entre las piernas, y eso debe cambiar. Las mujeres están luchando desde hace siglos para vencer los estereotipos que los hombres les asignan, sobretodo porque de los estereotipos se deriva la dominación de unos y la subordinación de las otras. Yo estaba en medio, como mi compañero Pepe. En nuestro caso, siendo hombres no cumplíamos el papel que supuestamente debíamos hacer. Y la sociedad heterosexista y machista, en este caso los compañeros de clase, de manera automática e inconsciente reaccionaban con burlas e insultos. No era nada agradable.

—¡No sería para tanto!

—Es muy fácil para ti. Tú lo dijiste poco a poco a los amigos y compañeros de tu clase. Nadie te decía *mariquita* o maricón. A mí sí y a Pepe también. Con el tiempo, ahora que soy mayor, he pensado la crueldad que sufrimos sólo por ser diferentes. Tal vez en la escuela se debería enseñar el respeto a la diversidad, además de matemáticas y de historia. No sólo los niños, también los adultos podemos ser muy desagradables sólo con el lenguaje, y constantemente estamos utilizando este tipo de insultos en nuestras conversaciones, sin pensar que podemos herir a alguien.

—¿Y qué me dices de los primeros amores?

Manuel dejó escapar una especie de suspiro y empezó a contarle.

—A mí me llegaron mucho más tarde. Tú te enamoraste cuando estabas cursando tus estudios profesionales de mecánica en el instituto, a mí no me llegó hasta que fui a la universidad. Y tuve suerte. Estaba colado por un chico que también era gay. A pesar de todo, la cosa no pasó de un romance de unos meses. Después quedamos como amigos. Hace mucho tiempo que no le veo. Pero tuve más ligues durante los años de la carrera. En mi facultad, y en otras, conocí a muchos más chicos y chicas, gays y lesbianas; incluso estuve apuntado al grupo universitario del Colectivo Lambda.

IV

Manuel y Toni seguían repasando el álbum de fotos. Una foto de su familia provocó una pregunta que hasta ahora Manuel nunca le había hecho a Toni. Era delicada, ya que no sabía si con su pregunta estaba entrando en un terreno peligroso, sobre todo por lo que respecta a la relación con sus padres. La curiosidad de Manuel podía estar rozando, de manera demasiado directa, la intimidad de la familia. Manuel sabía que la relación entre Toni, sus padres y su hermana era cordial, pero no sabía hasta qué punto. Ahora estaba en casa de la familia y quería saber el contexto en el que se podía mover. La pregunta estaba pendiente desde hacía semanas, y ahora, por fin, la planteaba abiertamente.

—¿Y qué pasó en casa cuando dijiste que eras homosexual?

—No fue fácil.

En ese momento Manuel mitigó sus ganas de saber. Tal vez no era un buen momento para hablar del tema.

—Si no quieres hablar del tema no hace falta...

—No te preocupes. Creo que no es muy diferente de lo que ha pasado en miles de familias.

»Como ya te he dicho, yo hacía una vida bastante normal en la escuela y en el instituto, pero poco a poco me daba cuenta que algo en mí no era igual que en el resto de los compañeros de la clase. Mi relación como amigo, después de enamorarme de Fernando, me ayudó a confirmar que yo era homosexual, y una vez que ya lo sabía surgió otro problema. Yo tenía claro que no podía evitarlo, que no era un asunto negativo o perjudicial. Para mí, se trataba de amor, de querer a una persona, pero esa persona era de mi sexo. Si hubiera sido una chica, no habría sido un problema, pero el resto de los compañeros tenían o tendrían relaciones con otras chicas y yo era diferente, sería diferente. Al principio simplemente intentaba evitar pensar en el tema o huir de las preguntas de mi padre o de mi madre sobre las novias. Ya teníamos 16 o 17 años y era normal que me las hicieran. A veces, me callaba, otras veces me inventaba ligues. Poco después comprendí que estaba engañando a mi familia y a mí mismo. Eso no podía durar.

—¿Y qué hiciste?

—Un día, comiendo en casa, les dije que me gustaban los chicos. Estaban en la mesa mi madre, mi padre, y mi hermana también. Había pensado muchas veces cómo decirlo, en qué situación, en qué momento, y pensé que ese momento era el perfecto. Pero me costó bastante. Hubo algunos intentos antes de aquel día. Lo dije y lo acompañé de un par de ideas; en primer lugar que yo era el mismo que hacía cinco minutos, que era el mismo hijo, el mismo hermano, el mismo estudiante de mecánica, el mismo Toni y, sobre todo, que yo no podía vivir una mentira permanente porque sería terrible para mí y para ellos.

»En aquel momento se hizo un largo silencio, que mi madre rompió preguntándome si estaba seguro de lo que estaba diciendo. Yo le respondí que estaba absolutamente seguro. Ella repitió la pregunta y yo la respuesta. Mi padre continuaba en silencio y mi hermana solamente miraba las caras y las reacciones de unos y otros. Finalmente, mi padre se decidió a decir: «Ya hablaremos». Yo no sabía si eso era positivo o negativo, lo que sí sabía era que no había marcha atrás. Terminamos de cenar y fue él quien se acercó para hablar conmigo. Empezó a explicarme que él no estaba preparado para esa noticia y que, por lo tanto, le tenía que dar tiempo, que él no sabía muy bien lo que era un gay o una lesbiana y que, además, lo poco que sabía no era muy positivo, que para él la homosexualidad era una cosa de otro mundo, que había oido hablar de ella pero siempre desde muy lejos o en la televisión. En cualquier caso, también me aseguró que él me quería como hijo, independientemente de cuál fuera mi sexualidad o mi afectividad. La reacción de mi madre fue bastante diferente: después de comer empezó a llorar mientras se preguntaba en voz alta por qué su hijo era homosexual, por qué no era como el resto de los chicos, qué era lo que ellos, como padres, habían hecho mal.

—¿Y qué hiciste? Porque el panorama no era especialmente positivo.

—Pues, esa noche pensé que debía ser valiente y actuar. Lo hice. Les propuse ir a un psicólogo, concretamente al psicólogo que había tratado a mi madre años antes, cuando ella había sufrido una depresión. Y lo hicimos. Fuimos los tres a visitar al psicólogo y fue muy aclaratoria su intervención. Nos recibió en su despacho. Muy luminoso, con estantes llenos de libros y una gran mesa de madera clara. Los tres nos sentamos delante de él en cómodas butacas.

»En primer lugar, les animó a expresar todas sus dudas, y lo hicieron. Mi madre preguntó: *¿Eso es normal, es natural? ¿Significa que mi hijo se convertirá en una chica? ¿Y qué podemos hacer nosotros? ¿Y cómo podemos ayudarlo? ¿Podríamos haberlo evitado?*

»El psicólogo les miró a los ojos, a los dos, después a mí y respirando profundamente empezó su explicación: *En primer lugar, deben de saber ustedes que la sexualidad humana es diversa y que tanto la homosexualidad como la heterosexualidad forman parte de ella. Otra cosa es que la heterosexualidad es, efectivamente, el tipo de sexualidad mayoritaria y la homosexualidad es un tipo minoritario, pero el hecho de que gays y lesbianas sean una minoría no implica en ningún momento que sean anormales o anti-naturales. Es cierto que desde algunos puntos de nuestra* sociedad, por ejemplo desde la doctrina oficial de la Iglesia Católica (y también es el caso del Islam y otros religiones), se sigue hablando de desviación, de hecho antinatural o pecado que, en el mejor de los casos, se debe esconder o asumir con resignación. Pero eso son creencias, son dogmas propios de una religión. Las ciencias de la salud y los distintos saberes sociales, a medida que se han distanciado de la fe y han investigado, han determinado que la homosexualidad, que gays y lesbianas son personas tan perfectas e imperfectas como cualquier otra, que la única cosa que les diferencia del resto es la orientación de su deseo, son mujeres y hombres completos, sanos, altos, bajos, delgados, gordos, rubios, morenos... Pero quieren y desean a otras personas de su mismo sexo. El psicólogo paró un momento su explicación para tomarse su café y, haciendo un gesto con las cejas, preguntarnos si hasta ese punto estaba todo claro. Mi madre y mi padre dijeron que sí con la boca medio cerrada. Era evidente que había que explicar algo más. El psicólogo continuó: Entiendo que ustedes no estén nada familiarizados con esta situación, entiendo que nadie les haya enseñado que hay otra forma de sexualidad distinta a la que ustedes practican y que, además, si les han indicado algo es que la homosexualidad no es normal. Pero todo eso tiene un nombre: prejuicios, mitos. Eso sí que no es natural, ni normal: ocultar, reprimir, castigar o discriminar a un grupo de personas —los estudios hablan de un 5 a un 10% de la población— por el hecho de amar de manera distinta a como lo hace la mayoría. Ese fenómeno tiene *un nombre, es la homofobia. Lo que sí es muy peligroso es no aceptar nuestra sexualidad, reprimirla y combatirla. Y les puedo asegurar que la decisión de su hijo de decirlo es una decisión correcta. Lo contrario, esconder la verdad, sólo implica sufrimiento para él y mentiras para todos. Les garantizo que hay gente muy desgraciada que es lesbiana o gay y juega a ser heterosexual durante toda su vida. Eso sí es un grave problema.* El tono del psicólogo era, casi, de reprimenda. Prosiguió: *Una confusión que existe a menudo es identificar homosexualidad con transexualidad o travestismo. Ambas situaciones son diferentes a la homosexualidad y diferentes entre sí. Trataré de explicarme: una persona travestí es el hombre que se viste de mujer o la mujer que le gusta vestirse con ropa de hombre, sin que eso signifique que le gusten las personas del sexo contrario o del mismo sexo; una persona transexual tendrá un conflicto entre su identidad sexual, como hombre o mujer, y la que marca su cuerpo, sus genitales y, por lo tanto, la que el resto de la sociedad le asigna automáticamente. Aquí no hablamos de deseo sexual, hablamos de identidad sexual y de identidad de género. Un gay o una lesbiana son hombres o mujeres que se sienten en todos los aspectos hombres y mujeres y que orientan su deseo sexual hacia personas del mismo sexo; las personas transexuales se sienten hombres o mujeres, son hombres o mujeres que tienen un cuerpo que no coincide con el género que ellos sienten. Además, pueden desear a personas de género diferente si son heterosexuales, o del mismo género si son homosexuales. Parece un juego de palabras, pero la transexualidad es una realidad muy dura que afecta a una cantidad mínima de personas y conlleva toda una carrera de obstáculos para desarrollar su proyecto de vida. Si gays y lesbianas son víctimas de la represión de la sociedad, las personas transexuales deben añadir la discriminación por el hecho de ser diferentes, la incomprensión y el desconocimiento más atroz. Su hijo, sin embargo, les ha dicho que es homosexual y eso es diferente a la transexualidad.*

V

—El psicólogo te echó una mano, ¿no?

—Yo no sabía qué les diría, pero sí confiaba en el sentido común, en el rigor científico de los profesionales de la psicología. Pensé que mis padres necesitaban la afirmación de un especialista para vencer sus prejuicios. Y creo que funcionó bastante bien. Mi padre salió de la visita del psicólogo haciéndonos bromas a mí y a mi madre sobre los novios que yo llevaría a casa. Después del temporal llegaba la calma.

—¿Y aquí acabó la consulta al psicólogo?

—No, aún les dijo más. Más allá de su asesoramiento sobre los conceptos, también les contó que había personajes muy ilustres que eran gays, lesbianas o transexuales; que en todos los ámbitos de nuestra sociedad, en cualquier profesión, en cualquier país, en las ciudades grandes o en los pueblos más diminutos pueden haber gays, lesbianas o transexuales. Les habló de personalidades de la política, del cine, del deporte, de la música, de la filosofía o de la literatura; del pasado y del presente, que eran homosexuales: el político catalán Miquel Iceta, el político canario Pedro Zerolo, el exministro Jerónimo Saavedra, los alcaldes de París y de Berlín, Bertrand Delanöe y Klaus Wowereit; del mundo del cine: Rock Hudson, Marlene Dietrich, James Dean, Eusebio Poncela, los directores Alejandro Amenábar, Pedro Almodóvar, Pier Paolo Passolini; de la música: Lluís Llach, Freddy Mercury, KD Lang, George Michael, Elthon John, y también Beethoven y Txaikovsky; del deporte: las tenistas Amélie Mouresmo y Martina Navratilova, el nadador Johan Kenkhuis, el saltador Greg Louganis, el atleta Rob Newton, la ciclista Judith Arndt; de la cultura, como los escritores Terenci Moix, Álvaro Pombo, Eduardo Mendicutti, Juan Gil Albert, Federico García Lorca, Luis Cernuda, Virginia Woolf, Gertrude Stein, Oscar Wilde, Marguerite Yourcenar, Walt Whitman, Tenesse Williams, Truman Capote, William Shakespeare; los pensadores Joan Fuster, Marcel Proust o Michel Foucault... Paró para no aburrirnos, y afirmó que en muchas ocasiones han vivido escondiendo su sexualidad y sólo años después hemos sabido que eran gays o lesbianas. Pero nadie se atrevería a dudar sobre su calidad humana o intelectual por el hecho de no ser heterosexuales.

—Se ve que te sabes bien la lista, toma aire después de recitarlos de un tirón.

—Ya habíamos acabado, prácticamente, y aún nos hizo una aseveración: *Recuerden una cosa muy impor-*

tante: en esta situación no hay responsables ni culpables.
Nadie se ha equivocado, los padres no han fallado, el hijo
o la hija no ha fallado. La homosexualidad forma parte de
la naturaleza humana, pero nuestra sociedad, a lo largo de
la historia, ha construido una leyenda negra que nos im-
pide ver la sexualidad y, especialmente, la homosexualidad
o la transexualidad como realidades normales.

»Y de ese modo acabó nuestra visita al psicólogo. Los
días posteriores fueron extraños. Era como si estuvieran
haciendo la digestión de cuanto les había dicho el psicólogo. Poco a poco recuperamos el ambiente previo a mi
confesión. Y con el tiempo he podido hablar de muchas
más cosas de las que creía con mis padres.

»Un caso aparte fue mi hermana. Un día me preguntó, a mí solo, que cuándo iba a tener novio. Ella no
detectaba demasiadas diferencias entre que su hermano
tuviera una relación con una chica o con un chico. Tal
vez los niños estén más libres de los prejuicios que los
adultos.

VI

Ahora, con la conversación, Manuel conocía un poco mejor una parte importante de la vida de su pareja. El turno era, en este momento, para Toni. Él también quería saber algo más de la adolescencia de Manuel.

—¿Y tú cómo resolviste la situación en tu casa?

—Todo fue muy diferente. No fue ninguna sorpresa. Mi madre sabía todo lo que estaba pasando en la escuela. Las burlas, los insultos, que si yo era un mariquita, que si jugaba sólo con las niñas. Ya en el instituto cambié las chicas por los libros, era un poco solitario, sólo tenía dos o tres buenos amigos en clase, dos chicas y un chico. Cuando llegué a los 17 años, un día mi madre fue quien me preguntó: «¿Tienes pensado casarte con una chica?» La pregunta en aquel momento me dejó boquiabierto. Se hizo un silencio mientras pensaba la respuesta. «Más bien no, yo soy diferente, me gustan los chicos». Mi madre me miró, me abrazó y acto seguido, con cierta gracia, exclamó: «Eso, tu padre y yo, ya lo sabíamos».

—Cuéntame algo más...

—Mis amigas del instituto eran inseparables: entre ellas, otro chico y yo formábamos un grupo muy divertido. De alguna manera nos habíamos juntado para reforzar nuestros rasgos diferenciales ante los demás. No éramos *bichos raros*, pero hacíamos cosas que al resto de la clase le parecían extrañas: leer libros, periódicos (lo cual no deja de ser dramático), ir al teatro, preferir el cine de autor al cine *Made in Hollywood*, participar en las protestas pacifistas y ecologistas... A veces, encontrábamos compañeros que compartían con nosotros alguna de estas aficiones, pero el grado de coincidencia era siempre puntual. La gente seguía hablando de mí y, aunque yo no negaba nada, tuve algún que otro enfrentamiento con los chicos más agresivos de la clase. Sobre mis amigas todo el mundo pensaba que eran lesbianas, y nuestro amigo, por extensión, sólo podía ser homosexual o transexual. Era una especie de grupo marcado. Pasó el tiempo, terminamos la enseñanza secundaria y llegamos a la universidad. A pesar de separarnos, ya que cada uno de nosotros eligió una carrera diferente, seguimos viéndonos y algo también supimos del resto de los compañeros del instituto. Hubo algunas sorpresas.

—¿Como cuáles?

—A uno de los chicos más agresivos y más intolerantes con nosotros nos lo encontramos una noche en una discoteca de ambiente homosexual del centro de la ciudad.

—Pero a una discoteca gay no sólo van gays y lesbianas.

—Es cierto, a pesar de lo que mucha gente piensa, los pubs, cafés, discotecas... lo que se denomina *de ambiente* no es un espacio exclusivamente para gays, lesbianas, transexuales, bisexuales... Más bien al contrario, son lugares donde todo el mundo es bienvenido. Lo que sí es seguro es que gays, lesbianas, transexuales, bisexuales pueden expresar tranquilamente su afectividad en estos lugares, cosa que en otros espacios, en otros barrios, podría generar, en el mejor de los casos, caras raras, y en el peor alguna falta de respeto.

—¿Pero qué descubristeis?

—Allí estaba él. Con otro chico. Por cierto, muy guapo.

—Hasta aquí no has dicho nada que sea sorprendente.

—Ahora viene la sorpresa: se estaban besando.

—Me dices que el más homófobo estaba allí dándose un *morreo* con otro chico. Eso sí que es más fuerte.

—Lo mismo pensé yo. Pero la cosa no acabó ahí.

—¿Qué insinúas?

—En un momento determinado me acerqué para saludarlo. Su reacción fue de miedo y de confusión. Llegó a decirme que no me conocía. Un par de horas más tarde me buscó por la discoteca para disculparse y explicarme que nadie sabía que él era gay, que se escapaba de su grupo de amigos (los mismos cafres del instituto) para hacer incursiones en la disco gay. También me confesó que era muy desgraciado por la doble vida que estaba llevando y que había sido muy cruel conmigo y con mis amigos en el instituto.

—¡Qué fuerte! —exclamó Toni—. Una especie de rendición incondicional, ¿no?

—Sí, pero en realidad me daba mucha lástima. Antes o después debería tomar alguna decisión para ordenar su vida. Mantener la farsa más tiempo sólo podía traerle infelicidad y más represión. De alguna manera, él era víctima de su machismo y de su homofobia.

—Eso lo hemos comentado alguna vez: los más intolerantes, los que más exhiben su masculinidad, al final están sobreactuando para disipar cualquier duda sobre su sexualidad. En realidad, es negar su realidad en lugar de afrontarla.

—Exactamente.

VII

—Me habías dicho que participabas en un grupo universitario de gays, lesbianas y transexuales.

—Sí, y también de bisexuales.

—Pero, ¿hay bisexuales de verdad?

—Mira, la sexualidad humana es absolutamente diversa. En función de qué prácticas sexuales y del deseo sexual que predomina en cada persona llegamos a la definición heterosexual, homosexual o bisexual. De hecho, hay hombres o mujeres heterosexuales que tienen o tendrán prácticas homosexuales y no por eso dejan de ser heterosexuales. Y al revés, gays o lesbianas que tienen o tendrán prácticas heterosexuales y tampoco dejan de ser homosexuales. Las personas bisexuales se caracterizan precisamente por mantener de manera indistinta prácticas sexuales o relaciones afectivas con hombres o mujeres. También hay personas que durante una etapa de su vida, de manera consciente y asumida, son heterosexuales o homosexuales y, después conocen a una persona y empiezan una relación o simplemente cambian la orientación de su deseo sexual. Las identidades sexuales existen, son diversas y son variables.

—Claro, y eso no cuadra en absoluto con el esquema tradicional que habla de hombre y mujer, matrimonio, sexualidad para tener hijos, matrimonio heterosexual como estructura familiar idónea...

—Evidentemente. Y, si lo piensas, precisamente eso es lo que durante siglos nos han enseñado como modelo único de relaciones afectivas, sexuales o familiares. Afortunadamente, las mujeres empezaron hace ya muchos años a combatir, pacíficamente pero decididamente, estas ideas que todavía hoy pesan tanto. La igualdad de derechos políticos, sociales, laborales y familiares para hombres y mujeres es una de las revoluciones más importantes que ha conocido el mundo y aún no ha terminado. Las agresiones son un reflejo terrible de la incapacidad de muchos hombres de asumir que las mujeres, que sus parejas, no son un objeto que les pertenece, que ellas pueden decidir, que tienen libertad. De alguna manera, todo lo que representa cuestionar los esquemas tradicionales (la emancipación de las mujeres o la visibilidad de gays y lesbianas, son dos ejemplos) suponen una transformación de las estructuras sociales para ganar libertades personales.

—¡Qué discurso te acabas de marcar!

—No es mío... Es que durante el tiempo que estuve en la universidad participé en bastantes actividades feministas y sobre las teorías de género. Me parece muy interesante reflexionar sobre todo eso.

—Ya veo que sabes mucho de este tema. Pero te estaba preguntando sobre tu participación en el grupo universitario de gays y lesbianas.

—¡Ah, sí! Fue muy positivo. Conocí a mucha gente interesante, gente inquieta, gente que se mueve haciendo cosas, reivindicando, organizando actividades, informando. Sobre todo fue una gran ayuda descubrir, por fin, que yo no era un *bicho raro*, que había más jóvenes como yo, que había gays, lesbianas, bisexuales... Incluso había un chico transexual que estudiaba magisterio.

—¿Un chico o una chica?

—Eso nos lo explicaron y es muy importante. A menudo la gente no sabe cómo hablar de las personas transexuales y, al final, terminan siendo, sin quererlo, crueles con ellas. Nos dijeron que hay que utilizar el género que ellos sienten, es decir, aunque físicamente fuera una chica, hay que hablarle como si se tratara de un chico. Porque, en realidad, es un chico. Es importante este detalle del lenguaje porque ellos o ellas hacen grandes esfuerzos, de todo tipo, por conseguir una apariencia coherente con su género; que alguien en una reunión, en el documento de identidad, en la tarjeta del banco o en el carné de la universidad les continúe asociando con un género que no consideran propio es una crueldad innecesaria.

»También había muchas lesbianas en el grupo. Estas de verdad. Lo digo porque mis amigas del instituto, a pesar de lo que la mayoría de la gente pensaba, no lo eran. Las lesbianas del grupo contaban que debían soportar toda una serie de burlas y estereotipos bastante pesados: que si son como chicos, que si les gusta conducir camiones, que son feas, que odian a los hombres. Las lesbianas deben sufrir la incomprensión y los mitos que arrastramos las personas homosexuales y, además, la discriminación que aún sufren las mujeres. Una de las chicas del grupo nos contó un día que antes de decir a su familia que era lesbiana se lo pensó muchísimo. Ella, a diferencia del resto de sus hermanos (todos chicos) no tenía trabajo, estaba aún estudiando el último año de la carrera, no sabía la reacción que tendrían en casa; no tenía autonomía económica y si la cosa no iba bien podía tener problemas. Las mujeres tienen más difícil acceder al mercado laboral. Además, está demostrado que, genéricamente, sus salarios, por el mismo trabajo, son inferiores a los de los hombres. Parece que deben demostrar algo más que los chicos y eso le obligó a pensarse mucho cómo, y sobre todo cuándo, decía a sus padres que era lesbiana. Afortunadamente, cuando lo hizo la respuesta fue muy positiva y su miedo se esfumó. Pero para no arriesgarse lo hizo cuando ya había acabado los estudios en la universidad.

–Las lesbianas, es cierto, tienen más problemas que los gays.

—Fíjate si es así que cuando la gente piensa en una persona homosexual la identifica con un hombre, con un gay. Otro ejemplo: si dos mujeres se cogen de la mano no es sospechoso, pero si lo hacemos dos hombres, automáticamente somos *mariquitas*. Dos chicas pueden ser muy buenas amigas, y demostrarlo con gestos. Si dos chicos son muy amigos y lo demuestran con su actitud son dos *mariquitas*.

—¿Y eso por qué?

—No hay una única razón. Hay muchas y distintas, algunas están relacionadas con el predominio de los hombres en todos los ámbitos (no sólo dentro de la comunidad homosexual) y, especialmente, con la falta de referentes públicos y visibles, es decir, de lesbianas conocidas en el mundo cultural, político, económico o social. Sin embargo, como te decía, pasa lo mismo con las mujeres en general. ¿Cuántas jefas de gobierno hay en Europa (por hablar de un espacio geográfico donde se supone que existe una plena «igualdad» legal para hombres y mujeres)? ¿Cuántas empresarias o presidentas de bancos conoces? Aún son una minoría y las lesbianas son una minoría dentro del colectivo de las mujeres.

—¿Pero las mujeres no son el 50% de la sociedad? ¿Cómo es posible que no estén más presentes en esos espacios?

—Numéricamente sí, las mujeres, son la mitad de la sociedad, pero la igualdad legal ha llegado hace tan sólo dos siglos y la igualdad social, la de verdad, la del día a día todavía no se ha conseguido. Esa situación también la sufren las lesbianas. Y, además, todos los mitos y estereotipos.

—¿Te refieres a eso de que quieren ser chicos?

—Pues, sí. La sociedad ha creado para los gays unos estereotipos que hablan de amaneramiento y para las chicas lesbianas también ha creado sus propios mitos, en este caso como si fueran mujeres masculinizadas, feas (porque se supone que lo masculino está reñido con la belleza y la delicadeza) y porque la sociedad ha formado a lo largo de la historia un perfil de lo que debe ser una mujer y su rol social. De hecho, cuando una mujer no ha encajado en ese prototipo ha sido acusada, a menudo, de ser lesbiana (aunque nadie supiera cuál era su orientación sexual y su preferencia afectiva). La realidad desborda estereotipos y mitos. Hay mujeres lesbianas muy delicadas y perfectamente homologables al concepto tradicional de mujer que la sociedad (dominada por los hombres) ha impuesto. De la misma manera que hay hombres gays muy masculinos que nadie diría que lo son. El aspecto no condiciona la orientación sexual de las personas. Y cuando las lesbianas o los gays están adoptando formas o maneras que tradicionalmente se asocian al otro género, lo que denominamos «pluma», lo que se está produciendo (de manera consciente o inconsciente) es una reacción ante los modelos de mujer o hombre preasignados socialmente. Y, evidentemente, eso patina.

VIII

Eran las nueve. Se estaba haciendo de noche y el padre les llamó para cenar.

Soplaba una ligera pero agradable brisa marina que refrescaba el ambiente. Iban a cenar en la terraza de la casa. En la mesa estaban el padre y la madre de Toni, su hermana, Ana, y ellos dos, Toni y Manuel. Para cenar, pescado y una refrescante ensalada.

La familia de Toni prácticamente no conocía a Manuel. Habían oido a Toni hablar de él, pero no sabían mucho más de lo que él les había contado. Era la primera vez que un amigo de Toni con expectativas de ir más allá en su relación personal, entraba en el círculo familiar. Todos tenían cierta curiosidad. La familia de Toni por Manuel, y Manuel por conocer mejor a la familia de Toni. Pero la mejor forma de cultivar esta nueva relación era hablando. Y la familia de Toni no tenía en ese aspecto ningún problema, eran todos unos entusiastas aficionados a la conversación.

Hablando, hablando se iban conociendo un poquito más. Había una expectativa mezclada con un punto de tensión pero el éxito o, mejor dicho, la tranquilidad de la presentación de la tarde hizo que tanto Manuel como Toni llegaran a la cena absolutamente relajados.

Pero eso no impidió que Manuel le preguntara a Toni (que conocía mejor a su familia) si todo iba bien. Con un guiño, Toni asintió. Manuel no debía temer nada de la situación. Todo marchaba correctamente.

Nada más empezar a cenar, después de algunas preguntas casi protocolarias sobre el trabajo, sobre cómo iban las vacaciones (que empezaban entonces), el padre de Toni preguntó a Manuel por el asunto de las nuevas leyes de reforma del sistema educativo. El padre, con el tiempo libre propio de un jubilado, leía a fondo la prensa cada día, escuchaba la radio y la conversación era para él una diversión que alcanzaba todo tipo de temas de actualidad. «Un buen lío», le dijo Manuel. Y hablaron de muchos más temas: de cómo habían quedado ese año los equipos valencianos en la liga de fútbol, de los conflictos internacionales y las guerras, de los trabajos de Toni y de Manuel... Estaban sirviendo la ensalada (a base de endibias con queso, dátiles y membrillo) cuando, aprovechando un mínimo silencio, la hermana de Toni lanzó una pregunta en la mesa:

—¿Os casaréis?

La pregunta se dirigía a Manuel y a Toni. Manuel se sorprendió por la pregunta en un primer momento, pero miró a Toni, sonrieron, entendió que más que una indiscreción era sana curiosidad y cuando se disponían a responder a la cuestión se les adelantó el padre de Toni para hacer la explicación del asunto.

—Manuel y Toni son una pareja como tu madre y yo, pero hasta ahora no tenían el derecho a formalizar su relación como matrimonio civil. Por lo tanto, aunque hubieran querido casarse, legalmente no podían.

—¿Y eso qué quiere decir? Yo hace tiempo que veo en la televisión que hay parejas de gays y lesbianas que se casan...

Manuel intervino. No era sencillo, acababa de conocer a aquella familia, ese mismo día. Pero valor no le faltaba, discurso e ideas tampoco. Y como había podido comprobar aquello de hablar era un deporte familiar que todos practicaban con entusiasmo. Él no se quedaba corto. Por otro lado, el asunto no parecía nuevo para los padres de Toni.

—Es que en algunas ciudades y comunidades del Estado nos podemos inscribir en un registro como pareja de hecho, es decir, dejar constancia de que vivimos juntos y, en función de la legislación y los reglamentos de cada lugar, contraer una serie de derechos y obligaciones el uno con el otro, y al revés. Lo que pasa es que esta inscripción en el registro se ha convertido en una ceremonia que, a simple vista, es igual que una boda: un alcalde o un concejal o concejala se encarga de presidir y conducir el acto, sin embargo, desgraciadamente, los derechos y obligaciones que tiene una pareja de hecho son muy inferiores a los de un matrimonio.

—¿Y las parejas de hecho pueden formarse también entre un hombre y una mujer?

—Sí. Hasta el momento en el que se aprobó el matrimonio para parejas del mismo sexo, lo que teníamos era que las parejas heterosexuales podían elegir entre dos tipos de relación legal; la primera es el matrimonio, que tiene muchas obligaciones y muchos derechos; la segunda es la pareja de hecho o unión de hecho, con sólo algunos mínimos derechos y obligaciones. Por el contrario, las parejas de gays y lesbianas sólo teníamos una opción: ser unión de hecho o pareja de hecho. Las leyes no permitían a gays y lesbianas contraer matrimonio.

Toni no dejaba de mirar a Manuel como hipnotizado por su discurso. Nadie podía negar que Toni estaba fascinado por Manuel.

—¿Y eso por qué?

—Lo hemos hablado antes Toni y yo. El concepto de familia ha evolucionado y las leyes no tanto. Se está transformando, y ya se ha superado, la idea tradicional de que la familia sólo puede ser un matrimonio heterosexual orientado a la reproducción, a tener hijos. Y hay muchas más posibilidades de familia: monoparentales, es decir, con padres o madres sin pareja, pero con algún hijo; divorciados o divorciadas; separados o separadas; niños y niñas que viven con los abuelos; gente que rompe una pareja pero hace otra y ambos aportan descendencia; las adopciones... Y también estamos en ese listado de nuevas familias, de nuevas formas de convivencia las parejas que formamos los gays o las lesbianas. El peso de la idea tradicional de familia (que defiende de manera intransigente el discurso oficial de la iglesia católica y los sectores más conservadores de nuestra sociedad) ha obstaculizado la evolución de las leyes.

—¿Y qué diferencia hay entre un matrimonio y una pareja de hecho?

—Las uniones o parejas de hecho han sido reguladas, en un principio, por las Comunidades Autónomas y estas no tienen competencias en muchos de los asuntos que afectan a la vida cotidiana de una pareja. El matrimonio es un contrato entre dos personas que está regulado en el código civil y que implica muchos derechos y obligaciones.

—Ponedme algunos ejemplos.

—Por ejemplo, la pensión de viudedad. Es un caso muy duro, además de la pérdida de la persona querida, la persona con la que se ha vivido en pareja durante años, hay que añadir los problemas para garantizar una ayuda económica que sí tienen, automáticamente, las parejas matrimoniales heterosexuales cuando uno de los dos desaparece. Pero si no hay matrimonio no se puede obtener una pensión de viudedad para el miembro de la pareja que sobrevive. Esta y muchas otras situaciones terribles se podían llevar a los tribunales y, después de un largo recorrido judicial, a veces acababan bien y a veces acababan mal; depende de si los jueces interpretaban las leyes de una forma o de otra. Pero no es sólo la pensión, en el mismo caso están la cobertura sanitaria para la pareja, o sea, tener en la cartilla de la seguridad social a nuestra pareja; poder otorgar nuestra nacionalidad a nuestra pareja en caso de que fuera extranjera; ser considerado como primer familiar a efectos de decisiones médicas, de los seguros de vida o accidentes; ser el heredero de las propiedades, de la vivienda, sin ningún problema; poder pedir un préstamo hipotecario como pareja; poder realizar la declaración de la renta conjuntamente...

—Tu madre y yo la hacemos conjunta y nos sale mucho mejor que si la hiciéramos por separado.

—Son todo aspectos que no se valoran suficientemente hasta que uno no se encuentra en la terrible situación de perder al ser querido.

Toni ratificó con la cabeza la última frase de Manuel.

IX

Ahora llegaba el pescado. Unas doradas a la sal cocinadas en el horno. Un plato sencillo y delicioso que le gustaba especialmente a Toni. Como lo sabían en casa, lo prepararon. Cuando empezaban a comer el segundo plato, Ana, que no tenía bastante con la inocente pregunta sobre las intenciones de la pareja, reanudó su particular interrogatorio. Pero ahora Manuel ya estaba precavido.

–¿Y tendréis hijos?

Manuel casi se atragantó con el pescado.

Toni respondió a Ana mientras el padre ayudaba a Manuel con unos suaves golpes a superar el ahogamiento.

–La verdad, de eso, no hemos hablado. No lo hemos pensado, pero está claro que ni Manuel ni yo nos podemos quedar embarazados.

Todos se rieron. Manuel, ya recuperado, volvió a intervenir para aclarar algunas cuestiones y no dejar pasar la ocasión de decir que él siempre había deseado tener hijos. Ahora la mirada de expectación era de Toni.

—Sí, pero la gente confunde muy a menudo homosexualidad y esterilidad. El caso de las lesbianas es especialmente evidente. Pueden inseminarse artificialmente o de manera natural. Por lo que respecta a la inseminación artificial, la legislación española ha permitido, desde que existe, que una mujer, en solitario, pudiera empezar el proceso para tener un hijo. En otros países las leyes sólo establecen el acceso al proceso de reproducción asistida para parejas heterosexuales, bien sean matrimonio o pareja de hecho. Y de hecho son muchas las mujeres, lesbianas o no, que en solitario deciden afrontar la maternidad por la vía de la reproducción asistida. Otra cuestión es que después esas mujeres tengan una pareja, hombre o mujer, con la que educar y proteger al menor y como queda la pareja legalmente en relación al niño o niña. Pero además de la inseminación también pueden tener hijos de relaciones anteriores (los gays también podemos tener hijos de otras relaciones). Por lo tanto, hijos e hijas de gays y lesbianas, ya hay. Y todo ello sin hablar aún de la adopción. Yo, de hecho, no descarto tener hijos.

Toni se quedó sorprendido. Era cierto que, de ese tema, nunca habían hablado y era para él una sorpresa la opinión de Manuel. No conocía su espíritu paternal.

La madre se había interesado a raíz de las palabras de Manuel. Tal vez nunca había hecho esa reflexión y, de repente, sentía cierta curiosidad.

—¿Y qué pasa con esos niños y niñas?

—Jurídicamente tienen un padre o una madre que es gay o lesbiana y ese padre o madre quizá tenga una pareja, pero el problema está en que, como no podían ser matrimonio, el niño o la niña no tenía ningún vínculo jurídico con la pareja, con la persona que convive con su padre o su madre, con la persona que lo está educando y criando. Y eso tiene consecuencias: si el padre o la madre «legal» desapareciera por cualquier motivo, el otro padre o madre no tendría ningún tipo de vínculo jurídico con el hijo. Y si la persona que desaparece es la pareja del padre o madre, el niño o la niña no tendría tampoco ningún derecho sobre su herencia. Y si se produce una separación sería muy difícil fijar un régimen de visitas, la custodia del niño o una pensión alimenticia. Por lo tanto, con la situación que teníamos lo que había era una vulneración del principio de protección a los menores.

La madre hizo cara de sorpresa y reconoció que nunca había visto así el asunto.

—Siempre se habla del interés del menor, que hay que protegerlos y está claro que la mejor forma de proteger a los niños no es impidiendo que tengan dos padres o dos madres.

—Pues, lo mismo pasa con el derecho de adopción.

—Explícate mejor.

—Es muy sencillo. El derecho de adopción está reservado a personas que individualmente lo solicitan, a matrimonios y a parejas de hecho heterosexuales. Ya podéis imaginar lo que pasa.

—La verdad es que no. ¡Cuéntanoslo!

—Pues, que hasta que se aprobó el derecho al matrimonio para homosexuales, la única opción era solicitar un hijo adoptivo de manera individual. Otra cosa es que la persona individual tenga una pareja estable y, además, que esta pareja sea heterosexual, gay o lesbiana. Volvemos a la situación de los hijos biológicos. Sólo uno de los miembros de la pareja es reconocido como madre o padre legal del niño o niña y eso vuelve a dejar sin toda la protección deseable al hijo. Es una contradicción.

Toni levantó la mano, pidiendo la palabra.

—Yo aún diría más: es una hipocresía. Nos dejaban adoptar individualmente, ya que nadie nos puede negar el derecho, pero la ley impedía una adopción conjunta como pareja.

—Al final, el más perjudicado era el menor.

—Exactamente.

—¿Y por qué no querían que una pareja homosexual adoptara un hijo o una hija?

—La respuesta está relacionada con lo que hemos hablado antes sobre los conceptos tradicionales de familia, en este caso utilizando algunos mitos como que la correcta educación de los chicos y chicas necesita obligatoriamente de una figura materna y otra paterna o que los jóvenes criados en una familia gay o lesbiana, es decir, homoparental, acabarán siendo homosexuales.

—¿Y no es verdad?

—Por supuesto que no, aunque no pasaría nada, no podemos seguir pidiendo perdón por una situación que nadie elige. Simplemente existe y en las familias homosexuales habrá hijos e hijas que serán heterosexuales y homosexuales, como en todas partes, ni más ni menos.

Toni intervino, colándose en la argumentación de Manuel.

—Yo no sé mucho sobre ese tema, pero hay un argumento muy evidente. Yo, hermanita, me he educado en una familia heterosexual y mira el resultado. Por lo tanto, parece, sin ser demasiado perspicaz, que el entorno familiar no condiciona la orientación sexual de los hijos. Si fuera al contrario yo debería ser heterosexual. No estamos muy desencaminados si decimos que la homosexualidad (o la heterosexualidad) no se aprende.

—Y la otra idea sobre la necesidad de los referentes masculino y femenino tiene su carga de machismo.

Ahora fue el padre quien mostró curiosidad por el hilo argumental que iba desarrollando Manuel.

—No sé adónde quieres llegar...

—Si eso fuera verdad, ¿qué pasa con los hijos educados por madres solteras? ¿O los hijos que se crían con padres divorciados o separados? Su idea es que el hombre y la mujer aportan, cada uno, una serie de valores a la educación de los menores y que esos valores son propios de cada género. El hombre es la firmeza, la fuerza, la severidad, el compromiso... La mujer es la sensibilidad, la comprensión, la ternura... Una vez más se equivocan. Quieren asignar, a priori, una serie de características a las personas en función de su sexo y su género y eso es terriblemente machista. ¿O es que no hay hombres sensibles y comprensivos? ¿O es que no hay mujeres valientes, decididas, fuertes? Vistas las calidades que se asignan a los dos géneros, con esa regla de tres, las mujeres aún estarían totalmente subordinadas a los hombres en nuestra sociedad.

—Ya entiendo lo que querías decir.

Pregunta a pregunta, respuesta a respuesta, todos juntos iban sabiendo un poquito más de los otros. Manuel estaba descubriendo a los padres de Toni. Ellos, mediante aquella conversación, iban conociendo un poco más con quién quería compartir Toni su vida. Ana seguía sorprendiéndoles a todos con sus preguntas.

X

Aunque la charla era animada nadie descuidaba su plato. Poco a poco, las doradas iban quedándose en las espinas. Mientras unos escuchaban y comían, otros hablaban, y al revés. Así Manuel reanudó el tema.

—El asunto de la maternidad o la paternidad se presta, a menudo, a la manipulación más insidiosa.

—¿Cómo?

El padre parecía no entender la afirmación que acababa de hacer Manuel. Miró a la madre y parecía estar en la misma situación.

—Pues, que es uno de los mensajes más reiterados por los sectores contrarios a la igualdad para gays y lesbianas, es decir, que se puede aceptar el reconocimiento de los derechos económicos, de determinadas garantías, pero nunca que una pareja de gays o lesbianas tenga hijos a su cargo. En primer lugar, se olvidan de lo que ya hemos hablado; no somos estériles, y ya hay niños y niñas nacidos y criados en familias homosexuales. Sin embargo, en segundo lugar, lo que ponen en duda es nuestra capacidad para ser padres o madres. Si el primer argumento, aún siendo benévolos, tiene origen en la ignorancia, el segundo es muy perverso y, lo que es peor, falso y prejuicioso.

–Puedo pensar que no tienen razón. Yo te conozco a ti Manuel, conozco a mi hijo, lo he educado y pienso que tú y él también podríais educar a vuestro hijo o hija... No sé si el resto de personas homosexuales pueden o no, pero ¿por qué dices que es falso lo que dicen?

–Pues, muy sencillo. Desde hace algunas décadas los científicos han estudiado, precisamente, como son las nuevas familias, las familias formadas por madres lesbianas y padres gays con sus hijos e hijas. Incluso ha pasado el tiempo suficiente y se ha estudiado como se han educado los chicos y chicas. Hoy ya son jóvenes que han pasado su infancia en esas familias. Especialmente en los Estados Unidos y en el Reino Unido es donde psicólogos y pediatras han estudiado más todo eso. Hasta el punto que sus asociaciones profesionales, con prestigio incontestable en su país y en el mundo entero, han llegado a hacer declaraciones científicas donde establecen rotundamente la capacidad de gays y lesbianas para ejercer su paternidad y maternidad, para educar y formar hijos, para proteger y querer a su familia.

–Pero en algo se basarán para decir que no podéis formar una familia...

–Bueno, los estudios que utilizan han sido en algunos casos falseados, se han inventado datos y en otros son una acumulación de prejuicios sin ningún fundamento empírico, a diferencia de las investigaciones norteamericanas y británicas, que tienen detrás rigurosos trabajos de campo, es decir: entrevistas, encuestas, análisis de cientos de casos que avalan su tesis.

—Pero, ¿qué es lo que dice su tesis?

—Que no hay diferencia. Salvo dos aspectos: la flexibilidad de roles y su posición respecto de la homosexualidad. Me llamó mucho la atención que los chicos y chicas que eran estudiados demostraban que no tenían asociadas de manera rígida determinadas profesiones o herramientas a un sexo o al otro. Mientras que los otros jóvenes o niños analizados, que vivían en familias heterosexuales, sí unían, por ejemplo, enfermera y mujer o una llave inglesa con un hombre, estos podían elegir que una enfermera también podía ser un hombre o que una llave inglesa también podía estar relacionada con una mujer, en este caso una mujer mecánica. Y también eran mucho más tolerantes frente a la homosexualidad, la veían como una cosa normal (al fin y al cabo, era su entorno familiar). No tienen los prejuicios de la mayoría de chicos y chicas que reciben una educación en su casa, en la escuela, entre los amigos y amigas, que les lleva a pensar que el modelo mayoritario es el correcto. Aún más, en muchas ocasiones lo que se transmite es que es el único modelo posible de relación entre personas y eso produce prejuicios que son difíciles de contrarrestar.

—Eso está claro, pero no entiendo lo que dices cuando afirmas que no hay diferencia.

—La idea principal es que la orientación sexual de los padres o de las madres no es un factor que determina cómo será el ambiente familiar, cómo será el desarrollo de los niños y niñas en una familia.

—No lo termino de entender.

—Para que una familia «funcione» tiene que haber una serie de condiciones: amor, atención, seguridad, bienestar, previsión, capacidad de resolución de problemas y conflictos, comprensión, diálogo...

Toni se une a la conversación e interviene:

—Si miráis como lo habéis hecho conmigo, la tarea que habéis desarrollado, os percataréis perfectamente de lo que está diciendo Manuel.

—¡Hombre, gracias!

—Es verdad. Y tampoco es menos cierto que son muchas las familias que fracasan, que tienen demasiadas tensiones, demasiados conflictos, en definitiva que no ofrecen un espacio de amor y felicidad para que se críen los hijos o para que la pareja desarrolle su convivencia en armonía.

La madre se coló en el diálogo entre Manuel, el hijo y el padre.

—¡Pues claro! Sólo hay que ver las mujeres que están muriendo víctimas de agresiones de sus maridos o compañeros.

Se hizo un silencio. Aquel mismo día, en la prensa venía un nuevo caso de violencia de género en

Tarragona. La mujer había sido gravemente herida por su marido. La noticia hablaba de peleas y malos tratos continuados que, en esta ocasión, habían ido más allá. Una cuchillada que podía haberla matado. La policía y los médicos habían llegado a tiempo.

Todos lamentaron que eso pasara tan a menudo, pero el problema tiene difícil solución si no se interioriza el respeto básico al prójimo, en este caso a las mujeres.

Ya estaban en los postres.

Sandía, fresca y dulce.

XI

Habían terminado de cenar. Ahora llegaba el momento más esperado por Toni: salir al fresco bajo el cielo estrellado, con la brisa marina soplando, en la terraza de la casa. Era un momento donde cada uno, desde su hamaca, podía estar en silencio, mirar la luna, seguir las estrellas fugaces, o lanzar ideas al aire en voz alta y entablar conversaciones, a veces superficiales, a veces profundas. Toni se acordaba, de esos momentos de tranquilidad años atrás, y recordaba también todo lo que había pasado en su adolescencia, cómo estaba empezando una relación con Manuel y cómo todo eso podía hacerlo con su familia, con su padre, su madre, su hermana... Cómo su presente y su futuro podían conciliarse con su pasado, con su entorno, sin mentiras, sin esconderse. Y pensaba que eso era muy importante. Que mucha gente debía mantener, como aquel compañero de Manuel, una doble vida por miedo a la reacción de la familia, de los amigos y amigas, de los compañeros de trabajo cuando saben que eres gay o lesbiana. Toni estaba dándole vueltas a esas ideas cuando su padre le preguntó:

—¿En qué piensas, hijo?

Toni les trasladó sus pensamientos.

Cuando acabó de explicarlo, la madre hizo una pregunta, esperando que Manuel o Toni le respondieran:

—¿Y por qué lo hacen? ¿Por qué se esconden?

—Hay muchos motivos. Algunos están basados en prejuicios que los mismos gays y lesbianas tienen respecto a su orientación sexual. Piensan que tienen un defecto y tratan de corregirlo. Es cierto que la sociedad no ayuda mucho desde muchos puntos de vista, con un peso importante en la creación de opinión. Se dice que es una desviación, que somos unos pecadores, que no merecemos el mismo trato que el resto de los ciudadanos en las leyes, que no somos buenas madres o buenos padres... Al final, todos esos mensajes pesan bastante. Todo eso son ejemplos de homofobia, es decir, del odio a los homosexuales. Por otro lado, a lo largo de la historia se ha optado por ignorar que existían gays, lesbianas, bisexuales y transexuales.

—Y han existido toda la vida.

—Sí, y en todas las culturas y civilizaciones. Pero es verdad que una forma muy eficaz de reprimir una realidad es negar que existe.

—Por eso es tan importante lo que se denomina *salir del armario*.

—Es decir, ser visibles.

—Conforme gays, lesbianas, bisexuales y transexuales son más visibles en sus familias, en el trabajo, en la universidad, entre sus amigos o amigas... es más fácil que se normalice la diversidad sexual; es más fácil que una cosa tan natural como amarse no se convierta en motivo de discriminación legal y social. De hecho, hacer como que no existe es otra forma de homofobia.

—Ahora entiendo todo el alboroto que se organiza cuando una persona famosa hace pública su homosexualidad.

—Es todo un acontecimiento. El hecho de que aparezcan referentes positivos en la prensa, la cultura, la televisión, el cine y también en nuestros entornos cotidianos facilita muchísimo que gays, lesbianas, bisexuales y transexuales puedan vivir normalmente su sexualidad y su afectividad.

—Pero las personas heterosexuales no aparecen en la portada de una revista para decir que son heterosexuales.

—Sí, pero es que eso funciona como el valor en el ejército. Se presupone. Mientras nadie dice lo contrario, todos y todas somos heterosexuales. Por ejemplo, tú a mí no me preguntaste si iba a tener novio o novia; sólo me preguntaste si ya tenía alguna relación con alguna chica.

—Es la confusión de siempre: lo que hace la mayoría es lo normal y lo que hace una minoría es sospechoso de ser un defecto o una desviación. A nuestro alrededor, hasta ahora, tenemos una serie constante de mensajes que nos enseñan a ser heterosexuales, los referentes que tenemos son heterosexuales... Y, a pesar de todo, existimos. Es lo que algunos denominan «heterosexualidad obligatoria». Si no se dice nada en contra, la orientación sexual es la mayoritaria, la heterosexual, y eso contribuye a hacer más difícil que gays y lesbianas puedan vivir normalmente. Deben hacer un esfuerzo extra para vencer los prejuicios, los mitos y las mentiras sobre la homosexualidad. Eso es lo que se denomina el orgullo gay. Unas amigas lesbianas que tengo dicen, y con razón, que hay que estar muy orgullosas para soportar tanta discriminación. Tienen mucha razón.

La madre quiso relacionar la reflexión sobre el orgullo gay con otro detalle que siempre le había sorprendido.

—Sí, sí, sé que tienes razón en lo que estás diciendo, pero no me dirás que la imagen que aparece en la televisión y en la prensa de la gente que se manifiesta en la marcha del orgullo gay no es poco seria. Yo pienso que no da buena imagen, que los que aparecen en los medios de comunicación sean hombres disfrazados de mujeres, con muchas plumas y brillantes y tacones muy altos...

—Pues mira, eso también forma parte de la realidad, de la realidad diversa. Es cierto que los medios de comunicación enfocan a la gente que llama más la atención, pero en las manifestaciones y concentraciones que se hacen por todo el mundo para reivindicar la dignidad de gays y lesbianas, de transexuales y bisexuales, hay miles de personas muy distintas. Y también están las *drag queens* que son lo que tú denominas «hombres disfrazados de mujeres, con muchas plumas y brillantes y tacones muy altos». En ocasiones, son gente que se dedica profesionalmente al espectáculo, en otras, sea como *drags* sea con otros disfraces, se trata de romper con la normalidad obligatoria, por eso chicos y chicas van con ropas más extrañas, a veces con poca ropa, con pancartas reivindicativas. Su intención es aprovechar ese día para trasladar un mensaje: «Soy diferente, ¿qué pasa?» Si quieres, podemos estar de acuerdo en cuanto a que es un desafío, pero es una reacción contra la represión social que aún sufrimos.

—Además, las *drags* y los travestís fueron los primeros en protestar y reivindicar su dignidad, ¿no? —apuntó Toni.

—Así es. En el año 1969, en el barrio gay de Nueva York se produjo una revuelta precisamente encabezada por travestís y *drag queens*. El motivo era que ya estaban hartas, hartos de las acciones represivas, violentas, insultantes de la policía de la ciudad. Constantemente daban batidas en los bares donde se juntaban gays, lesbianas, travestís, transexuales... y exigían que todo el mundo fuera vestido de acuerdo con el género que expresaba su documentación legal. Aquellos que no cumplían «la ley» eran arrestados y trasladados a las comisarías. Un día dijeron basta y durante casi una semana el barrio y la gente plantaron cara a la policía. Eso pasó un 28 de junio de 1969 y empezó en un bar, el Stonewall Inn. A partir de ese día muchas cosas empezaron a cambiar. Las normas se reformaron, la policía dejó de actuar de manera violenta e insultante y, sobre todo, mucha gente, muchos gays, lesbianas, bisexuales y transexuales empezaron a tomar conciencia de que había que defender su dignidad. Así es la historia del orgullo gay.

Después del repaso histórico que Manuel acababa de hacer, todos se quedaron un poco parados, pero la hermanita rompió rápidamente el silencio con una nueva pregunta.

—Has hablado del barrio gay de Nueva York y antes hablabas del Carmen en Valencia. ¿Es que hay barrios para gays y lesbianas?

—Lo que hay son zonas dentro de las ciudades donde se concentran negocios tanto de ocio nocturno como de ropa, viajes, libros, música, restaurantes donde gays y lesbianas saben que no van a encontrarse con malas caras o expresiones inconvenientes. El Ensanche en Barcelona y Chueca en Madrid o el Soho en Londres son buenos ejemplos.

La hermana alzó las cejas y volvió a preguntar.

—Pero no lo entiendo, ¿eso no es cerrarse, eso no es una forma de autodiscriminación, tiendas para gays y lesbianas, discotecas para gays y lesbianas? ¿No es una especie de gueto?

—Se lo comentaba antes de cenar a Toni. Lo que tú denominas gueto es un lugar donde gays, lesbianas, transexuales y bisexuales pueden expresar tranquilamente su afectividad. Pero no es un espacio exclusivo para gays, lesbianas, transexuales, bisexuales... Más bien lo contrario, son lugares donde todo el mundo es bienvenido. La definición de gueto es, precisamente, un lugar donde se entra pero no se puede salir y los barrios que se denominan gays son todo lo contrario: todos y todas pueden entrar y salir, lo que sí existe es un clima de respeto que en otros lugares, en otros barrios, no está garantizado. Pero todo llegará, y un día no demasiado lejano será toda la ciudad, en cada lugar, en cada barrio, donde se pueda expresar cada uno como es, sin miedo ni represión.

—Estás hablando de Barcelona, de Valencia, de Madrid, pero ¿qué pasa aquí en nuestro pueblo?

—Es una buena cuestión hermana, de esas que en la televisión o en la radio provocan una respuesta que empieza diciendo: *Me alegro que me haga esta pregunta.*

—¿Por qué me dices eso?

—Porque en las ciudades ha sido siempre más fácil ser gay, ser lesbiana, ser transexual; ser diferente. Tal vez porque la gente no se conoce tanto, porque cada uno puede hacer su vida, la presión del entorno está menos presente. Ser invisible en una ciudad, aunque no niegues ser gay o lesbiana, es posible. En un pueblo es imposible. Es muy complicado tratar de «guardar las apariencias». Pero el primer error es pensar que nuestros vecinos, que los amigos de siempre, que la familia nos rechazarán. Y lo pensamos muy a menudo. Volvemos a lo de siempre: nos han educado para avergonzarnos de nuestra sexualidad, y especialmente si no es una sexualidad como la de la mayoría. También era muy difícil para una madre soltera vivir en un pueblo: los comentarios, la presión, el juicio permanente. Pero en estos momentos está más asumido –aunque algo queda, no nos engañemos– que una mujer pueda tener una familia sin el requisito de casarse o tener un hombre a su lado. Muchas mujeres han «huido» a las ciudades como han hecho gays y lesbianas, para vivir una nueva vida sin prejuicios ni presiones. Pero también hay muchas que han decidido plantar cara y hacer valer su dignidad, en su casa, en su barrio, en su pueblo. Y, a pesar de sus temores, siempre hay más gente que las acepta y respeta que no gente que las rechaza. Gays y lesbianas también están pasando por ese camino.

—Ya veo que no es fácil.

—No, no lo es, pero es la realidad. De hecho, el respeto a las minorías sexuales no existirá de verdad hasta que no haya diferencias para una lesbiana o un gay entre vivir en Valencia y vivir en cualquier pueblo.

XII

La hermana de Toni mostraba mucha curiosidad por la conversación. Ana era una adolescente despierta e inquieta que no se callaba ni una pregunta. Sus dudas emanaban en el transcurso de la charla. Cada argumento, cada idea que Toni o Manuel iban exponiendo provocaba nuevas dudas.

—Has estado hablando de Valencia, Madrid, Londres, Barcelona, de las ciudades y de los pueblos, pero eso es lo que pasa aquí, en nuestro mundo, ¿pero es igual en todos los continentes?

—No, en absoluto.

—El otro día leía una noticia en el periódico sobre un informe de Amnistía Internacional que hablaba de como se trata a las minorías sexuales en los diferentes países del planeta. La verdad es que es terrible.

—¿En qué sentido? —preguntó la madre.

—Los datos de Amnistía dicen que en más de 80 países del mundo hay persecución y violencia hacia gays, lesbianas, transexuales y travestís. Y lo que aún es más grave, en la mayoría de los casos es una persecución institucional, es decir, se considera un delito la homosexualidad y la transexualidad. Son millares las personas encarceladas en el mundo por su orientación o identidad sexual. Para Amnistía Internacional se trata de presos de conciencia.

—¿Estás diciendo que las leyes de esos países condenan a los homosexuales?

—Exactamente. Por ejemplo, yo sé que en Arabia Saudí es un delito, pero además puede suponer la pena de muerte. Es realmente terrible.

—Sí, sí. Lo que dices me pone la carne de gallina.

—También algunas cosas están cambiando. Sobre todo en América Latina. Eso decía la noticia del otro día. Pero queda mucho por hacer. Una cosa que me sorprendió es que en los Estados Unidos, hasta junio de 2003, en muchos estados (concretamente en 13) se consideraban como delito las relaciones homosexuales (ellos hablaban de sodomía), hasta el punto que, con la ley en la mano, un vecino podía denunciar si sospechaba que se mantenían relaciones homosexuales en la casa de al lado y la policía debía intervenir. Resulta sorprendente que ya en el siglo XXI y en el país más poderoso y modelo de libertades para mucha gente, aún estuvieran penadas las relaciones homosexuales en algunos estados.

—¿Estuvieran? ¿Que ya no lo están?

—Pues, no. El Tribunal Supremo norteamericano decidió, después de años de litigio, declarar ilegales las normas que penalizaban las prácticas sexuales homosexuales. La verdad es que más vale tarde que nunca.

—Has hablado de sodomía. ¿De dónde viene esa palabra?

—Es otra forma de denominar las relaciones sexuales entre dos hombres. Pero tiene una raíz histórica, exactamente se refiere a una ciudad de la antigüedad, Sodoma. Las tradiciones bíblicas dicen que en aquella ciudad reinaba el pecado, más concretamente que había todo tipo de prácticas sexuales, también las homosexuales. En los valores de muchas religiones, entre las que está la católica, el placer está asociado más bien al pecado y, por el contrario, el sufrimiento es una muestra de virtud. De acuerdo con esta ecuación, Sodoma era una ciudad dominada por el pecado y como tal fue castigada por el poder divino.

—Las religiones cuentan mucho, ¿no?

—Sí, en efecto. No es una casualidad que los países donde gays y lesbianas son perseguidos, y no quiero decir discriminados, sino considerados como delincuentes; por ejemplo Mauritania, Sudán, Pakistán, Emiratos Árabes, Yemen, Irán... tengan un modelo de sociedad donde la religión influye de manera clara en su legislación. En sus leyes hablan de «sodomía», «crímenes contra la naturaleza» o «actos antinaturales», «actos inmorales» o «escándalo público» para convertir en delito las diferentes expresiones de la identidad homosexual. Pero no todo es una cuestión de encarcelamientos y de criminalización de la homosexualidad (y de la transexualidad). En muchos países se combinan esas leyes discriminatorias con arrestos arbitrarios y los tratamientos médicos forzados o el tratamiento social, en las familias, en el ámbito laboral, de rechazo o represión. En algún caso la situación llega hasta el punto de negar que exista la homosexualidad en el país. Por eso mucha gente homosexual o transexual trata de huir de su país. Pero sólo unos pocos estados reconocen expresamente en sus leyes «la persecución por motivos de orientación sexual» como causa para conceder el asilo.

XIII

La noche era clara. La luna brillaba mucho y permitía una visibilidad excepcional para tratarse de la hora que era. Manuel, Toni y su familia seguían hablando animadamente mientras gozaban de la brisa del mar y de la tranquilidad nocturna en la terraza de la casa. Ana reanudó el tema de la consideración que hacen las religiones de la diversidad sexual.

—Cuando hablabas de las religiones estabas diciendo que condicionan mucho las leyes que persiguen homosexuales y transexuales.

—Así es.

—¿Es que religión y homosexualidad son incompatibles?

—Si lo miras desde el punto de vista de los dirigentes de las distintas confesiones religiosas, por ejemplo las más influyentes en Europa, resulta que para los cristianos, tanto católicos como protestantes u ortodoxos, para judíos y para musulmanes, la homosexualidad es un sacrilegio que no merece la protección y la defensa de los poderes públicos. Pero si lo miramos desde la perspectiva de los creyentes la cosa cambia.

—¿Qué quieres decir? ¿Que los creyentes sí son partidarios?

—No, no es eso. Las religiones son, por una parte, su discurso oficial, sus valores, y eso está en manos de los dirigentes. Pero las personas que comparten las creencias son muy plurales y entre ellos hay más de una opinión. Por ejemplo, España se declara mayoritariamente católica, pero también hay una clara mayoría de ciudadanos que son partidarios de la igualdad, incluso del reconocimiento del derecho al matrimonio para gays y lesbianas. ¿Cómo se explica eso? La estadística no engaña. Tiene que haber muchos católicos y católicas que no comparten la posición intransigente de los obispos y el Vaticano con respecto a la igualdad legal para las parejas homosexuales, ¿no?

—Pues, parece que, por lo que dices, los números cantan. ¿Y por qué pasa eso?

—La única explicación que se me ocurre es que muchos comparten las creencias morales o espirituales pero piensan que eso implica condenar a la marginación legal o social a personas que también forman parte de su comunidad, de la sociedad, incluso de su iglesia.

—¿Pero hay homosexuales cristianos en la iglesia?

—Sí, por supuesto que sí.

—¿Y en otras confesiones religiosas?

—En todas. Hay gays y lesbianas en todas partes. En la religión musulmana, en la judía, en las distintas ramas del cristianismo y en otras. Es verdad que algunas toleran a las personas homosexuales más que otras, sin embargo, en definitiva, aquella gente que tiene asumida una moral, una espiritualidad religiosa no es exclusivamente heterosexual. También hay homosexuales.

—Pero desde el Vaticano he oído que dicen que la homosexualidad no es correcta o que el matrimonio entre gays o lesbianas no es aceptable. ¿Cómo pueden después mantenerse dentro de esa fe las personas que son homosexuales?

—No es sencillo, pero mientras unos, el Vaticano y los obispos, por ejemplo, hacen una interpretación represiva de la sexualidad, otros, cristianos, no hacen la misma lectura de las *leyes* divinas, de las *enseñanzas* religiosas. De hecho, las religiones tienen graves conflictos con temas como la sexualidad, la democracia interna o el papel de las mujeres como sujetos tan dignos y respetables como los hombres en sus estructuras. Las tradiciones religiosas chocan a menudo con los valores de libertad, igualdad y fraternidad que guían a la organización de las sociedades democráticas avanzadas, lo que en historia se denomina «sociedades ilustradas» (haciendo referencia a los valores filosóficos, morales y sociales de la razón que alimentaron la época de la Ilustración y de la Revolución Francesa). Mira hasta dónde llega su irracionalidad que ante la pandemia del VIH-SIDA su posición es pedir a los católicos que no utilicen el preservativo porque es una forma artificial de evitar la reproducción de la vida.

XIV

El diálogo entre unos y otros tomó cierta severidad en este momento. El padre y la madre se habían quedado en un segundo y discreto plano, y eran Ana, Toni y Manuel los que dialogaban animadamente. Estaban hablando del SIDA y eso era muy serio. Toni, con cierto cabreo, afirmó:

—Es terrible cómo pueden anteponer principios morales, más o menos discutibles, a la vida de miles de personas.

—Aún recuerdo, cuando yo era un adolescente, las primeras noticias sobre la aparición del SIDA, del síndrome de inmunodeficiencia adquirida. Nadie sabía muy bien qué era. Pero como la mayoría de los casos estaban siendo detectados entre hombres homosexuales, hemofílicos y heroinómanos rápidamente se asoció la enfermedad a esos sectores de la sociedad, hasta el punto de crear la idea de los «grupos de riesgo», la epidemia de las tres haches. Volvió a circular la idea de la enfermedad como castigo divino.

—Pero eso ya está superado.

—Sí, pero hasta que se detectaron las vías de transmisión del VIH, del virus de inmunodeficiencia humana que provoca el SIDA, pasaron unos años muy duros donde la comunidad homosexual fue la vanguardia para combatir no sólo el SIDA, también la discriminación social que estaban sufriendo las personas seropositivas. También en aquella época el SIDA obligó, porque era evidente, a que muchas personalidades afectadas dijeran, además, que eran homosexuales. El caso más sonado fue el de Rock Hudson, un famoso actor norteamericano que encarnaba el papel de galán perfecto, masculino y elegante que un día anunció que estaba enfermo de SIDA y era gay. Una doble conmoción para la opinión pública mundial que nunca lo habría sospechado. Murió unos meses después. Ahora la prevención de la transmisión del VIH habla de prácticas de riesgo y que hay que evitarlas, una de ellas es mantener una relación sexual sin preservativo y por eso es incomprensible que desde el Vaticano se pida que no se utilice.

Con un cierto tono de incredulidad ante las palabras de Manuel, Ana se atrevió a insinuar que la situación no era tan grave como hacía unos años.

La respuesta de Manuel no se hizo esperar. Trataba de corregir la percepción de Ana.

—No lo creas. La gente joven, de tu edad, piensan que el SIDA ya no provoca la muerte, que es una enfermedad crónica y poco más. No es cierto.

—Muchos jóvenes lo piensan, hace unos días en la radio contaban que se estaba incrementando el número de personas menores de 30 años que son seropositivas, es decir, que son portadores del virus, aunque no hayan desarrollado la enfermedad del SIDA.

—Tú dices que no es tan grave y es cierto que la medicación ha mejorado mucho en estos años, pero no es una solución definitiva: las personas que son seropositivas y desarrollan la enfermedad tienen que hacer frente a unos tratamientos muy duros que afectan gravemente a su vida. Un amigo mío que es seropositivo y ya tiene SIDA se está tomando diariamente más de 20 pastillas y los efectos secundarios son terribles. Y aquí tenemos suerte. La medicación existe y está al alcance de todos y todas. En África o en Asia los tratamientos no llegan a la población afectada y la situación es dramática.

—Entonces, ¡no podemos bajar la guardia!

—Efectivamente, nadie la debe bajar. Homosexuales y heterosexuales, jóvenes y adultos, debemos hacer todo lo posible para prevenir su transmisión.

—Y, al mismo tiempo, no podemos marginar a las personas seropositivas.

—Es que siempre que se respeten las normas de sexo seguro no debemos tener miedo. Pero hay que ser conscientes. Sobre todo porque la mayoría de la población no sabe si es seronegativa o seropositiva.

—Al final, la mejor forma de prevenir la posible transmisión es utilizar el preservativo en las relaciones sexuales.

—¿Te ha quedado claro, Ana?

—Sí, sí, lo tengo claro.

Los padres miraron a Ana con un gesto que indicaba que debía seguir el consejo de su hermano.

XV

Los padres de Toni, que hasta ahora habían estado relativamente participativos en la conversación (salvo algunas dudas y opiniones puntuales), se animaron a hacer alguna pregunta más. Manuel había respondido muchas cuestiones que en algún momento se habían planteado. Para ellos, poder hablar sin ningún tapujo de estos temas era muy positivo. Si hasta ese momento habían vivido la homosexualidad de Toni como un asunto de familia, ahora, después de conocer un poco más a Manuel y después de la larga charla de la noche, podían ver su caso desde otra perspectiva más global. Habían aprendido mucho en todos estos años y lo que fue una sorpresa al principio, cuando Toni les dijo que era gay, ahora era un asunto más de su relación familiar, un rasgo más de la personalidad de su hijo, como eran su afición al deporte, su constancia en el trabajo, sus gustos por la música o los viajes. Incluso podían ver como Toni y Manuel podían estar diseñando una vida en común, una convivencia feliz, igual que ellos habían hecho cuando eran jóvenes.

Así, siguieron hablando.

—Cuando le has contestado a Ana has mencionado la comunidad homosexual. ¿Qué es eso?

—¡Será donde se reúnen todos! —dijo el padre, avanzándose a la respuesta de Manuel.

—No es exactamente eso.

—No, no, es una cosa más difusa y más compleja.

—Es que somos muy curiosos...

—Como comentábamos hace un rato, las personas homosexuales han sido muchas veces invisibles en la sociedad en casi toda la historia. Para resistir, para no estar ocultados del todo, lesbianas, gays, transexuales y bisexuales han creado un sentimiento común de identidad. Aunque somos muy diferentes porque somos personas con historias particulares, con gustos, características tan diversas, como podéis imaginar, sí tenemos algunas cosas en común. Por ejemplo, la homofobia, es decir, estar discriminados por la sociedad, por sus estereotipos, en la mayoría de los casos por sus leyes. A veces, perseguidos, como hablábamos cuando repasábamos el panorama internacional. Por todo eso se habla de una comunidad LGBT donde se encuentran intelectuales, políticos, organizaciones sociales, culturales, empresas... que no se reúnen para decidir qué deben hacer todos juntos, sin embargo, en la medida en que comparten una necesidad de libertad e igualdad, sí que generan un discurso, unas ideas que, aún siendo diversas, mantienen unos vínculos, unos nexos de unión.

—¡Pero eso suena a *lobby*!

—¿Qué significa *lobby*?

—Es el nombre en inglés de los grupos de presión. Pueden ser, por ejemplo, constructores que quieren conseguir hacer más apartamentos en la playa y hacen una estrategia para conseguirlo, o también pueden ser ecologistas que actúan en sentido contrario buscando que el Ayuntamiento prohiba la edificación en la costa.

—Ya me ha quedado claro...

—Algunos lo llaman *lobby*, pero no funciona como tal. Hay coincidencia, pero no se trata de una estrategia común, acordada y ejecutada de manera premeditada. Me parece mucho más peligrosa la acción planificada de ciertos sectores sociales que siempre tratan de mantener a gays y lesbianas, transexuales y bisexuales, en la marginación. Ese *lobby* de la discriminación sí que funciona y me da mucho miedo.

—Sin embargo, como en tantas otras ocasiones, la historia avanza. Lo que tú dices es cierto, Manuel, podrán retrasar las conquistas, pero no podrán evitarlas. Cada vez somos más visibles, es más normal que en la familia, en el trabajo, en la vecindad, tengamos un gay o una lesbiana, son más los países que derogan la discriminación legal. Es el sentido de la historia. Y, al fin y al cabo, de lo que se trata es de ser más libres y respetuosos. Nadie debe imponer, por ley o tradición, un modelo o un estilo de vida a los otros. Yo no lo haré, pero no quiero que ningún otro, persona o institución, me lo haga a mí. Es cuestión de tiempo, como ha pasado con las mujeres o los negros en otros momentos de la historia. La igualdad y la libertad, lo que es lo mismo, la dignidad de las personas, termina imponiéndose, termina ganando. Es irreversible.

—Es una buena conclusión.

—Y es bonita.

—¿Nos vamos a dormir?

Con la reflexión de Toni acabó la conversación nocturna.

Se despidieron hasta el día siguiente. Les esperaba un fin de semana de descanso, de playa y de sol en Benicàssim.

REPASANDO CONCEPTOS

Identidad Sexual. Es lo que la persona se considera genéricamente a si mismo: hombre o mujer. Es el resultado global de todo el proceso de sexuación. Siempre habrá una identidad sexual, aunque pueda variar. Puede suceder que la identidad de una persona no coincida con la que los otros identifican.

Orientación del deseo. Es la dirección que adopta la necesidad de satisfacción sexual.

Homosexualidad. Es cuando la orientación del deseo se presenta preferentemente hacia personas del mismo sexo. Hombres que desean a hombres, o mujeres que desean a mujeres.

Heterosexualidad. Es cuando la orientación del deseo se presenta preferentemente hacia personas de sexo diferente al propio. Hombres que desean a mujeres, o mujeres que desean a hombres.

Bisexualidad. En estos casos la orientación del deseo se presentaría de forma indistinta hacia personas del mismo sexo o del contrario. Hombres que desean a hombres y a mujeres, y mujeres que desean a hombres y a mujeres.

Gay. Hombre homosexual.

Lesbiana. Mujer homosexual.

Conductas o prácticas homosexuales. Son aquellas relaciones eróticas que se dan entre dos personas del mismo sexo, ya sean hombres o mujeres. Estas prácticas habitualmente son realizadas por gays o lesbianas. No obstante, también podrían darse en personas heterosexuales. Conviene no confundir lo que se hace, con lo que se es.

Conductas o prácticas heterosexuales. Son aquellas relaciones eróticas que se dan entre dos personas de sexo diferente. Estas prácticas habitualmente son realizadas por personas heterosexuales. No obstante, también podrían darse en personas homosexuales. Conviene no confundir lo que se hace, con lo que se es.

Relaciones eróticas. Son todo el posible repertorio de conductas con que un hombre o una mujer se procura proporcionar satisfacción sexual, generalmente se dan en el marco de una relación de pareja y hacen referencia tanto a las relaciones homosexuales como heterosexuales.

Transexual. Es aquella persona en que su identidad sexual, como hombre o como mujer, no coincide con lo que le marcan sus genitales, ni otras estructuras sexuales, ni con la identidad que los otros le suponen. Esta identificación con uno u otro sexo es independiente de la orientación del deseo. Hay, por lo tanto, la posibilidad de que una persona transexual sea heterosexual o homosexual.

Travestí. Es frecuente que este término se utilice sólo para referirse a hombres a los que les gusta y encuentran satisfacción en vestirse de mujer, aunque también podría utilizarse en la otra dirección: para una mujer a la que le gusta y encuentra satisfacción en vestirse de hombre. Estas conductas, de entrada, no suponen una orientación del deseo determinada, ni ningún problema con respecto a la identidad.

Género. Son todas aquellas cosas: conductas, ropa, gestos, juegos, etc., que socialmente se han considerado propias de uno de los dos sexos. Por lo tanto, hay dos géneros: el masculino, con todo lo que se considera propio de hombres, y el género femenino, con todo lo que se considera propio de mujeres. El género es una construcción social y, por lo tanto, varía según culturas y momentos históricos. Actualmente, hombres y mujeres, a medida que se igualan socialmente, están equiparando sus roles de género y van eliminando muchos prejuicios que asociaban comportamientos o valores, a priori, a hombres o mujeres.

Afeminado. Hombre con gestos u otros rasgos externos considerados socialmente más propios de mujeres. En principio, este término está relacionado con las apariencias y no alude ni a la orientación del deseo ni a la identidad sexual. Generalmente, esta palabra se utiliza con connotaciones despectivas.

Marimacho. Mujer con gestos u otros rasgos externos considerados socialmente más propios de hombre. Este término, relacionado con las apariencias, tampoco aporta nada en cuanto a la identidad o la orientación del deseo. Igual que la palabra afeminado, la utilización que se hace no suele ser gratuita y se acompaña de cierta intencionalidad de rechazo.

Homofobia. Se refiere a la aversión, al odio, al miedo, al prejuicio o a la discriminación contra hombres o mujeres homosexuales, aunque también se incluye a las otras personas que integran la diversidad sexual, como es el caso de las personas bisexuales y las transexuales (en este caso se habla de **transfobia**). En algunos individuos la homofobia adquiere extremos patológicos muy radicales, incluso violentos, que se asocian con otros trastornos de la salud psíquica. Expertos en teoría de género vinculan la homofobia con la cultura patriarcal dominante, que además discrimina a las mujeres.

LGTB. Son las siglas que corresponden al colectivo lésbico, gay, transexual y bisexual. Con la inicial de cada grupo se quiere hacer visible la diversidad y evitar que quede escondida por ninguno de sus componentes.

Para entender el mundo

1. *Un café con Rachida*, de Albert Toldrà
    para entender las religiones

2. *Aquí nadie es extranjero*, de Aitana Guia i Conca
    para entender la inmigración

3. *Me hace daño el instituto*, de Francesc Ruiz, con viñetas de Dino Salinas
    para entender el sistema educativo

4. *La niña que quería ser*, de Arantxa Bea
    para entender la discriminación de las mujeres

5. *¿Qué tengo aquí abajo?*, de Rosa Sanchis y Enric Senabre. Ilustraciones de Ana Ruiz
    para entender la sexualidad

6. *¡Ama como quieras!*, de Ximo Cádiz
    para entender la diversidad sexual

7. *Mira la tele... ¡Y piensa!*, de Enric Senabre
    para entender la televisión... con la filosofia